MW00487698

TRUENO *de la* TIERRA

ALBA AMBERT
Ilustraciones de THERESA SMITH

Rigby

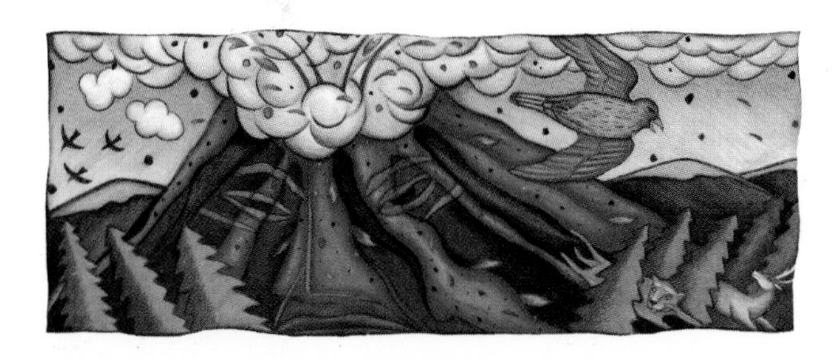

© 1997 by Rigby,
a division of Reed Elsevier Inc.
1000 Hart Rd.
Barrington, IL 60010-2627

All rights reserved. No part of this publication may be reproduced or transmitted in any form or by any means, electronic or mechanical, including photocopying, recording, taping, or any information storage and retrieval system, without permission in writing from the publisher.

06 05
10 9 8 7 6 5 4 3

Printed in Singapore

ISBN 0-7635-3229-0

El gran volcán duerme y sueña

por meses, años y largos siglos soñolientos.

Se queda plantado, como una montaña,

tan quieto, tan callado,

que el halcón, el águila y hasta el cóndor

dejan caer sus alas y vuelan sobre la boca abierta de su cráter.

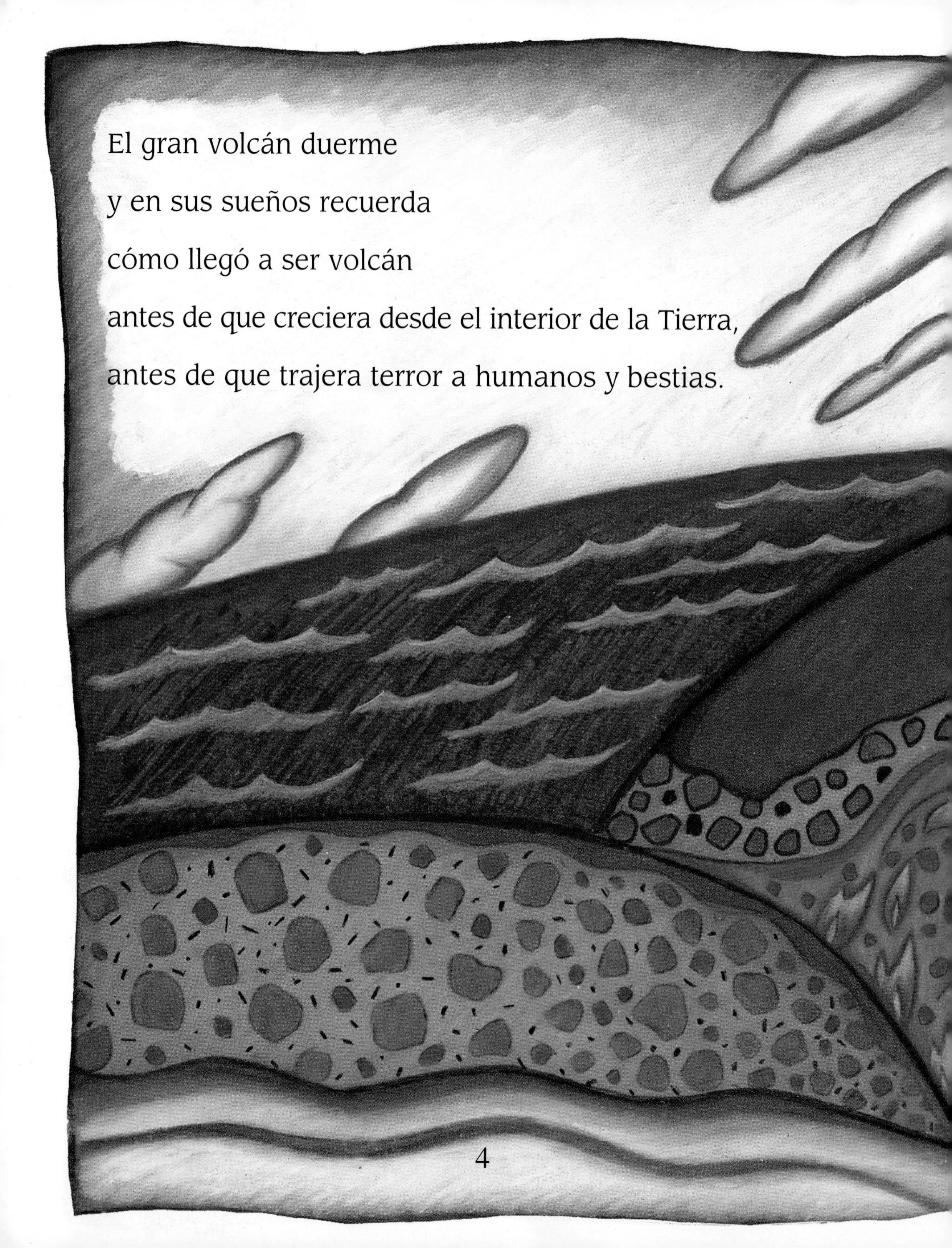

El gran volcán duerme
y en sus sueños recuerda
cómo llegó a ser volcán
antes de que creciera desde el interior de la Tierra,
antes de que trajera terror a humanos y bestias.

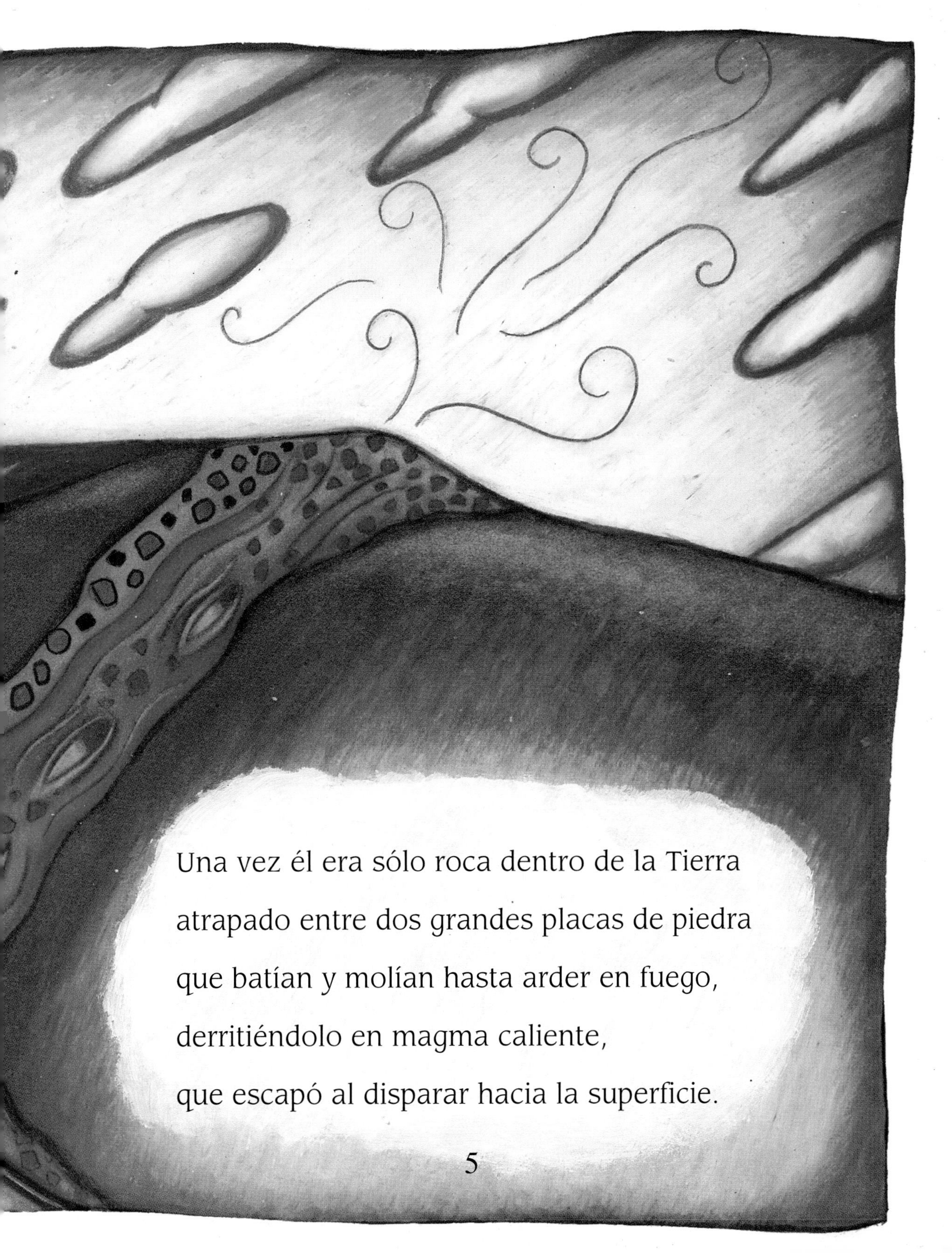

Una vez él era sólo roca dentro de la Tierra
atrapado entre dos grandes placas de piedra
que batían y molían hasta arder en fuego,
derritiéndolo en magma caliente,
que escapó al disparar hacia la superficie.

Enojado, él hizo una herida en la
corteza de la Tierra,

y escupió roca y gases calientes.

Las rocas hirvientes subieron

por las capas profundas de la Tierra

para arrojarse por la boca abierta.

La lava hirviente se desbordó,
se endureció

y se amontonó con las cenizas

hasta que se acampanó como una falda

alrededor de la boca creciente.

Una y otra vez, se derramó la lava
se enfrió, se endureció
y formó un círculo alrededor del cráter,
construyendo, muy alta sobre el suelo,
una montaña con un gran cráter encima.
Pasó el tiempo
y la lava dura alrededor del volcán
se hizo campo donde crecieron árboles, plantas y arbustos.

La gente construyó pueblos ahí en las laderas,

cultivó fincas

y construyó casas con jardines bonitos

donde los niños jugaban felices,

esperando que el volcán durmiera para siempre.

Y el volcán durmió durante muchos años.

Pero ahora, el alto volcán se agita en lo profundo de sus sueños.

Siente los gases, el vapor y las piedras calientes

atrapados en el centro duro y pedregoso de su cuerpo.

Incómodo, resuena en su sueño.

Los animales sienten el resonar

y se dan cuenta de que pronto estallará.

Un cuervo grazna en la distancia y se esconde.

El cóndor, el águila y el halcón chillan de miedo,

y vuelan lejos, muy lejos.

Pequeñas hormigas suben a la superficie
buscando consuelo en el aire fresco.
Los pumas bajan de las montañas
y se tiran en la corriente del río.

El volcán retumba como un tambor y tiembla.

Gruñe, muy dentro de su garganta, como un león.

Despierto ahora, sus entrañas hierven con fuego

y burbujean con rocas derretidas.

Las piedras hirvientes se amontonan dentro de él.

Estalla como un trueno,

escupiendo piedras y chorreando vapor

y torrentes de lava que ruedan hacia los campos

como un jarabe caliente y espeso.

N.C.L.B.
HENRY D. LLOYD
2103 N. LAMON
CHICAGO, IL 60639

La Tierra se estremece y se queja.

Cenizas y vapores burbujean de la boca

del volcán que tiembla y grita.

Los campos están negros de cenizas.

Los cielos se oscurecen con niebla, vapor y lenguas de fuego.

Y la Tierra quiere hundirse en las aguas profundas del mar.

El volcán, gordo e hinchado como un cañón,

se mece, patea y escupe polvo.

Y la Tierra espera callada y quieta.

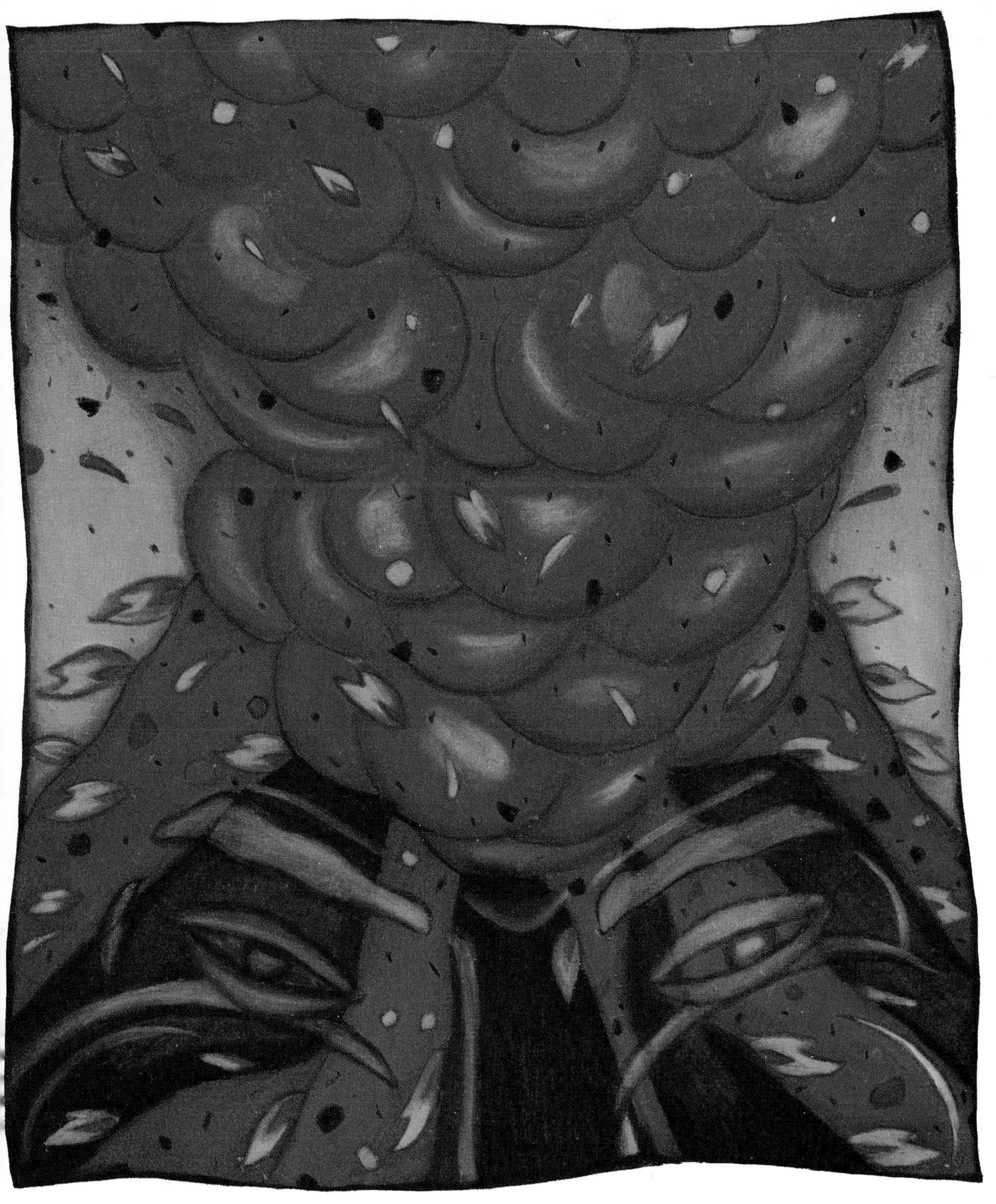

Entonces una explosión,

como un trueno,

como dinamita,

rasga un hueco en el cielo.

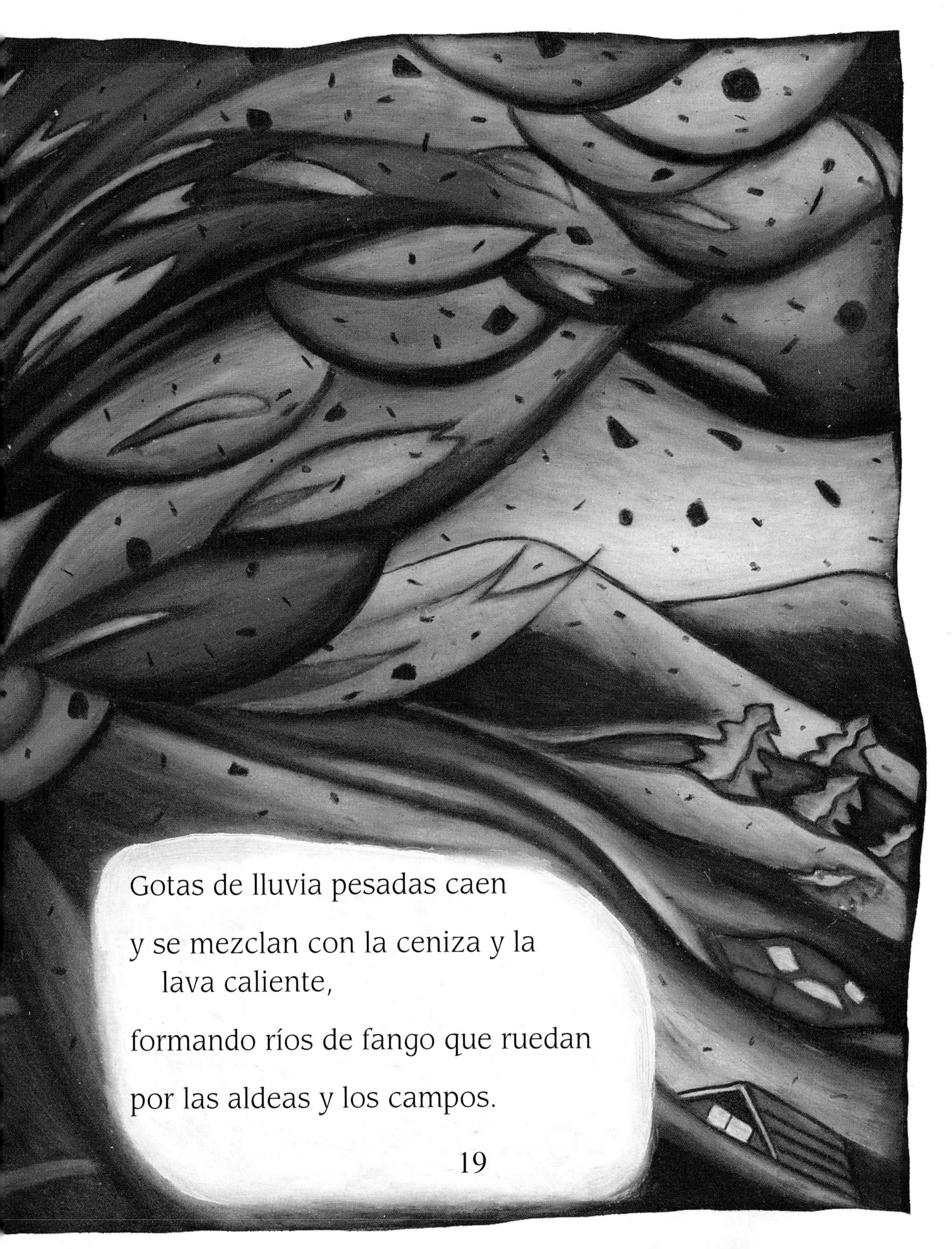

Gotas de lluvia pesadas caen

y se mezclan con la ceniza y la
lava caliente,

formando ríos de fango que ruedan

por las aldeas y los campos.

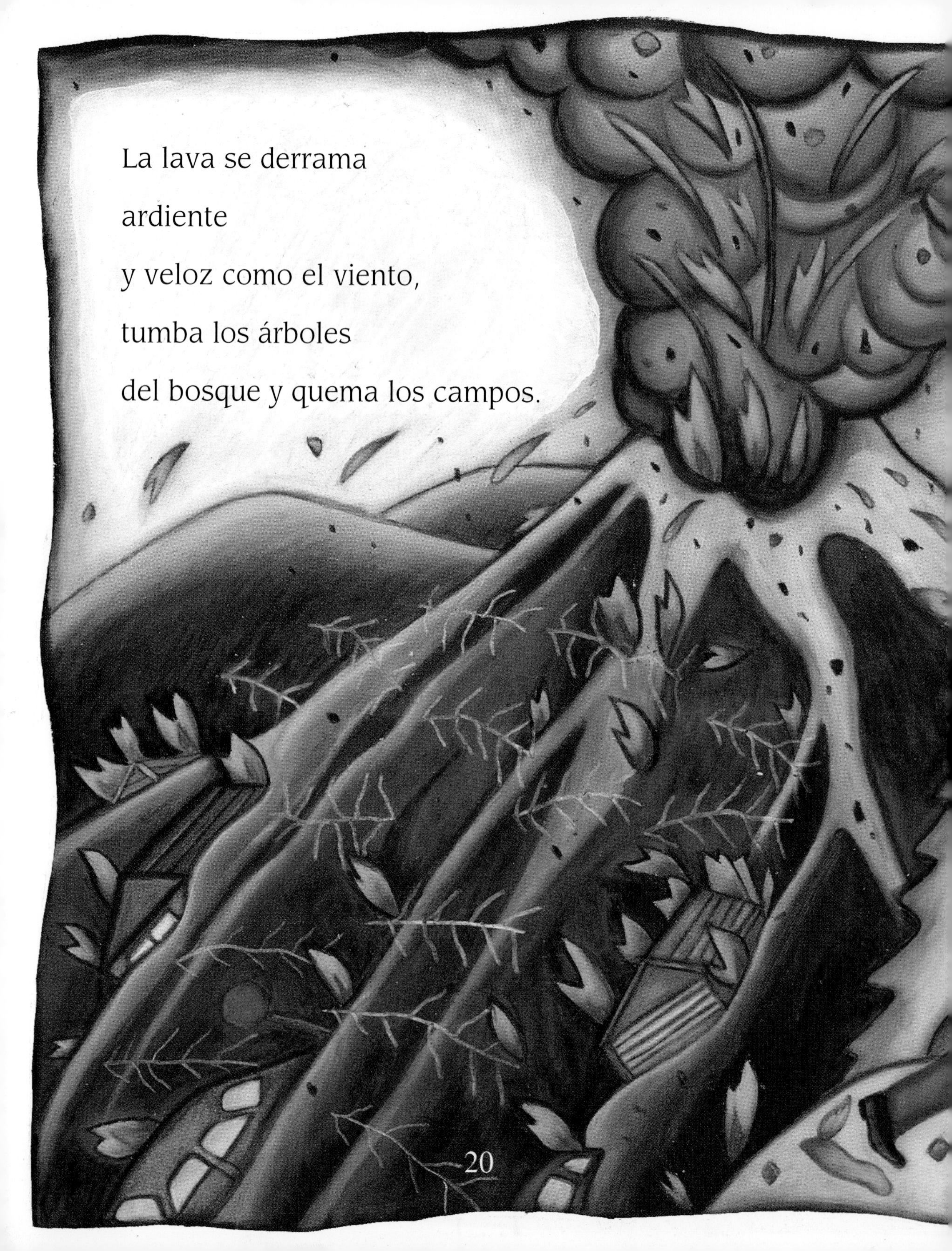

La lava se derrama
ardiente
y veloz como el viento,
tumba los árboles
del bosque y quema los campos.

Los niños corren a esconderse,
y con sus padres
corren lejos, muy lejos del calor horrible,
del fuego, de la ceniza, de la lava
que se estrella por las laderas
y se hunde en las calles y en las casas.

Los niños alzan la vista cuando el silencio los rodea.
Cuando la Tierra está tan callada que pueden oír
el revoloteo de las aves regresando a sus nidos
y cuando la luz del sol atraviesa la niebla,
los niños pueden ver
que todos sonríen de nuevo.

El volcán duerme otra vez, cansado y fatigado.

Mientras sueña, la lava que derramó se enfría y se endurece,

y otra vez se vuelve campo rico para los campesinos.

Y los niños juegan con las piedras de cristal refulgente
y la arena brillante
que el volcán les dejó de regalo.